Dein BOOKii® Stickeratlas

Teste dein Wissen mit den BOOKii Spielen

Hast du schon alle Sticker eingeklebt? Dann tippe auf das Spiele-Icon und löse die kniffeligen Suchspiele oder beantworte Fragen zu Ländern und deren Flaggen. Los geht's!

Mit dem Stickeratlas die Welt entdecken

Du möchtest mehr über Europa und seine Länder erfahren? Dann tippe sie einfach mit deinem BOOKii Hörstift an. Hinter allen Länderkarten und Bildern verstecken sich spannende Infos.

Tippe auf die Sticker und erfahre mehr

In deinem BOOKii Stickeratlas findest du die Nationalflaggen aller Länder sowie die Wappen der deutschen und österreichischen Bundesländer und der Schweizer Kantone als Sticker. Klebe sie auf den entsprechenden Länderkarten ein und erfahre mehr über ihre Herkunft und Bedeutung.

AF720715

WAS IST WAS

FLAGGEN DER WELT

Stickeratlas

TESSLOFF

Die Welt der Flaggen

Rotes Kreuz

Vorsicht, das ist nicht die Schweizer Nationalflagge, sondern das Zeichen der Hilfsorganisation, die welweit im Einsatz ist.

Flaggen haben oft einen symbolischen Charakter und sind eng mit der Geschichte eines Landes verknüpft. Bereits die alten Ägypter und Römer befestigten an Stangen Stoffe oder Symbole aus Holz und Metall und erfanden so eine Vorform der uns heute bekannten Flagge. Flaggen, wie wir sie heute kennen, also ein Stück Stoff, das seitlich an einer Stange befestigt wird, entstanden bereits vor über 5 000 Jahren in China. Von dort gelangten sie weiter nach Arabien und schließlich auch nach Europa, wo ab dem 18. Jahrhundert die ersten Nationalflaggen entstanden.

Flagge oder Fahne?

Auch wenn sich beide sehr ähnlich sind, gibt es dennoch einige Unterschiede zwischen einer Fahne und einer Flagge. Bei einer Fahne ist das Tuch fest mit dem Fahnenstock verbunden, während eine Flagge nicht direkt am Flaggenmast befestigt wird. Sie wird mithilfe einer Leine an die Mastspitze gezogen und so auch wieder eingeholt.

Von Streifen und Kreuzen

Nationalflaggen können die unterschiedlichsten Muster aufweisen. Es gibt Streifenflaggen, Flaggen mit Kreuzen und viele andere mehr. Die Farben der Flaggen ähneln sich dagegen sehr. Das liegt daran, dass die Farben oft eine symbolische Bedeutung haben. Weiß steht häufig für Frieden, Blau für Himmel und Meer, Rot dagegen für Abendsonne und Blut. Aufgrund der Verbindung von früheren Kriegen und dem Blut, das dabei vergossen wurde, ist Rot die meistverwendete Farbe bei Flaggen. Ein weiteres Merkmal von Flaggen ist das Verhältnis von Länge und Breite des Tuchs: Viele Flaggen haben die Proportionen 3:5. Es gibt aber auch quadratische Flaggen, wie jene der Schweiz.

Mehr als nur Länderflaggen

Jedes der 196 Länder der Welt besitzt eine eigene Nationalflagge, die die Einheit und Unabhängigkeit des Landes widerspiegeln soll. Doch auch in anderen Bereichen spielen Fahnen und Flaggen eine große Rolle. Organisationen oder bestimmte Vereine machen sich das Erkennungsmerkmal zu eigen und einige Flaggen gelten sogar als international anerkanntes Symbol. Auch im Sport sind die wehenden Stoffe nicht mehr wegzudenken.

Europa

Die zwölf Sterne stehen für die Einheit aller europäischen Länder.

Angeberwissen

- Flaggensprache: Wird eine Flagge bis zum oberen Ende des Masts hochgezogen, so spricht man vom Hissen. Eine Flagge streichen bedeutet, dass diese nach unten eingeholt wird.
- Auf halbmast: Bei Traueranlässen wird an öffentlichen Gebäuden die Flagge auf halbmast gesetzt. So wird den Verstorbenen und Opfern die letzte Ehre erwiesen.
- Flaggenetikette: Eine Flagge darf beim Hissen oder Streichen nie den Boden berühren. In vielen Ländern ist gesetzlich geregelt, wie eine Flagge behandelt oder genutzt werden darf.
- Jede Flagge hat eine Vorder- und eine Rückseite. Die sogenannten Averse und Reverse sind meist identisch, jedoch spiegelverkehrt. Allerdings gibt es auch Ausnahmen.

Rückseite der Flagge Paraguays

Die Flagge Paraguays ist eine der wenigen, bei der Vorder- und Rückseite nicht identisch sind.

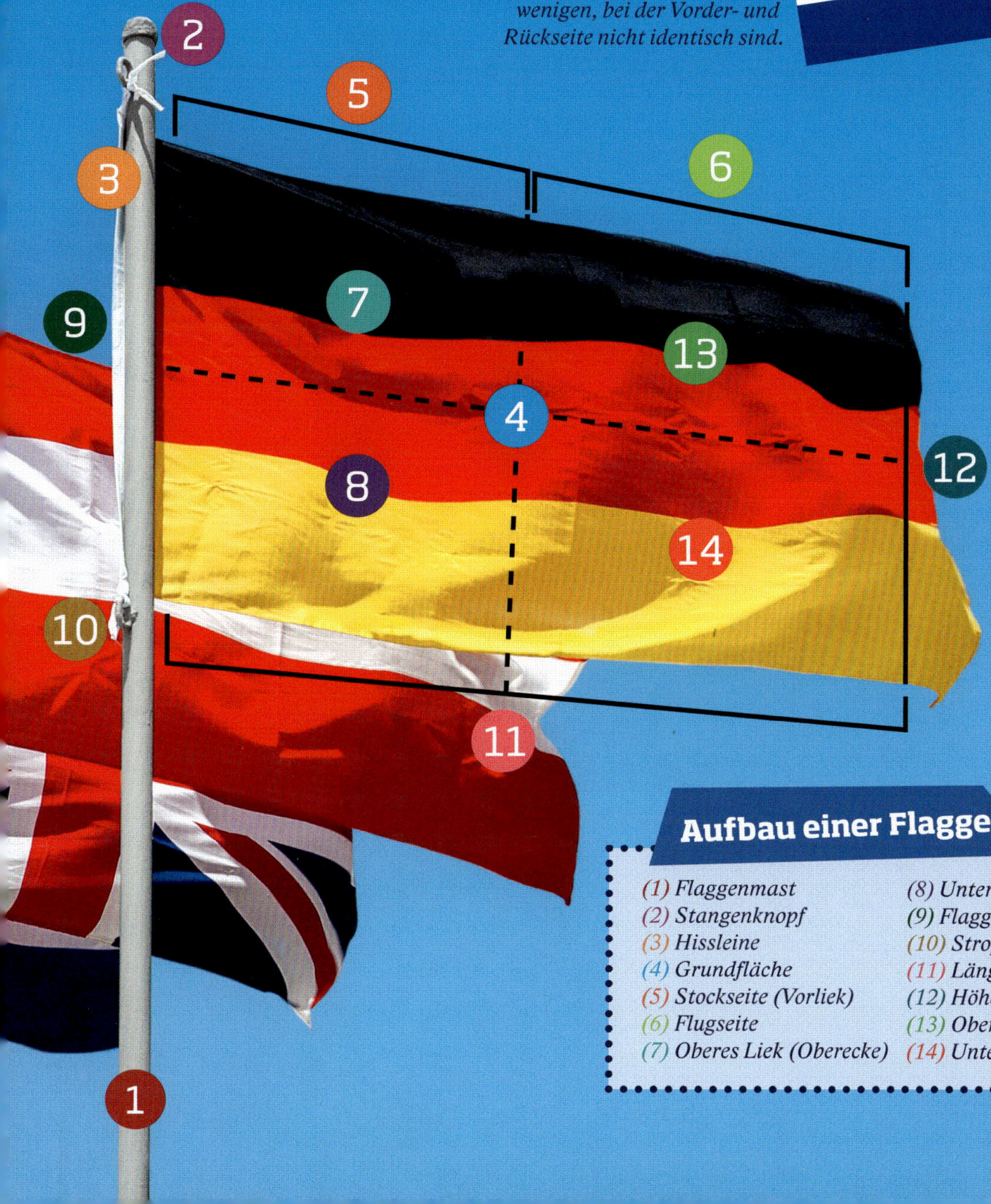

Aufbau einer Flagge

(1) Flaggenmast
(2) Stangenknopf
(3) Hissleine
(4) Grundfläche
(5) Stockseite (Vorliek)
(6) Flugseite
(7) Oberes Liek (Oberecke)
(8) Unteres Liek
(9) Flaggensaum (Liek)
(10) Stropp und Knebel
(11) Länge
(12) Höhe
(13) Oberes Flugteil
(14) Unteres Flugteil

Flaggenmuster

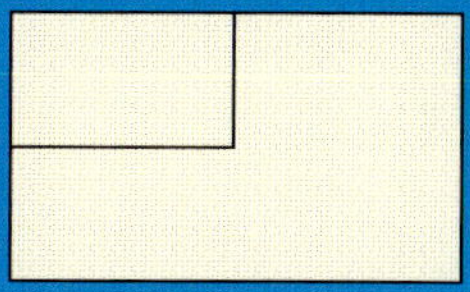

Obereck

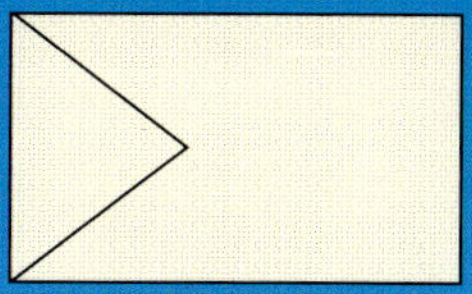

Dreieck

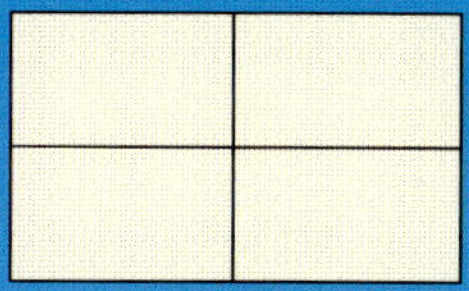

Quadrierte Teilung

Streifenflagge

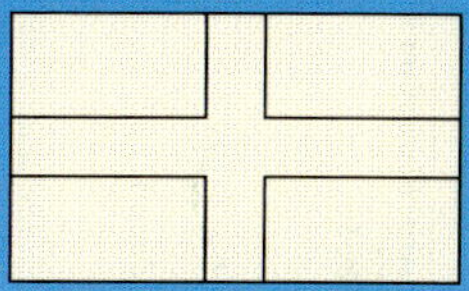

Kreuz

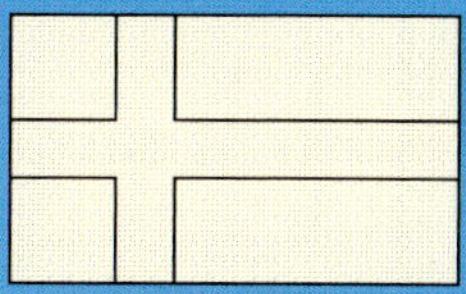

Skandinavisches Kreuz

Schrägkreuz

Halbmondform

Nördliches Europa

Grönland

Grönland gehört politisch gesehen zu Dänemark. Neben der dänischen Flagge führt Grönland offiziell auch eine eigene Flagge.

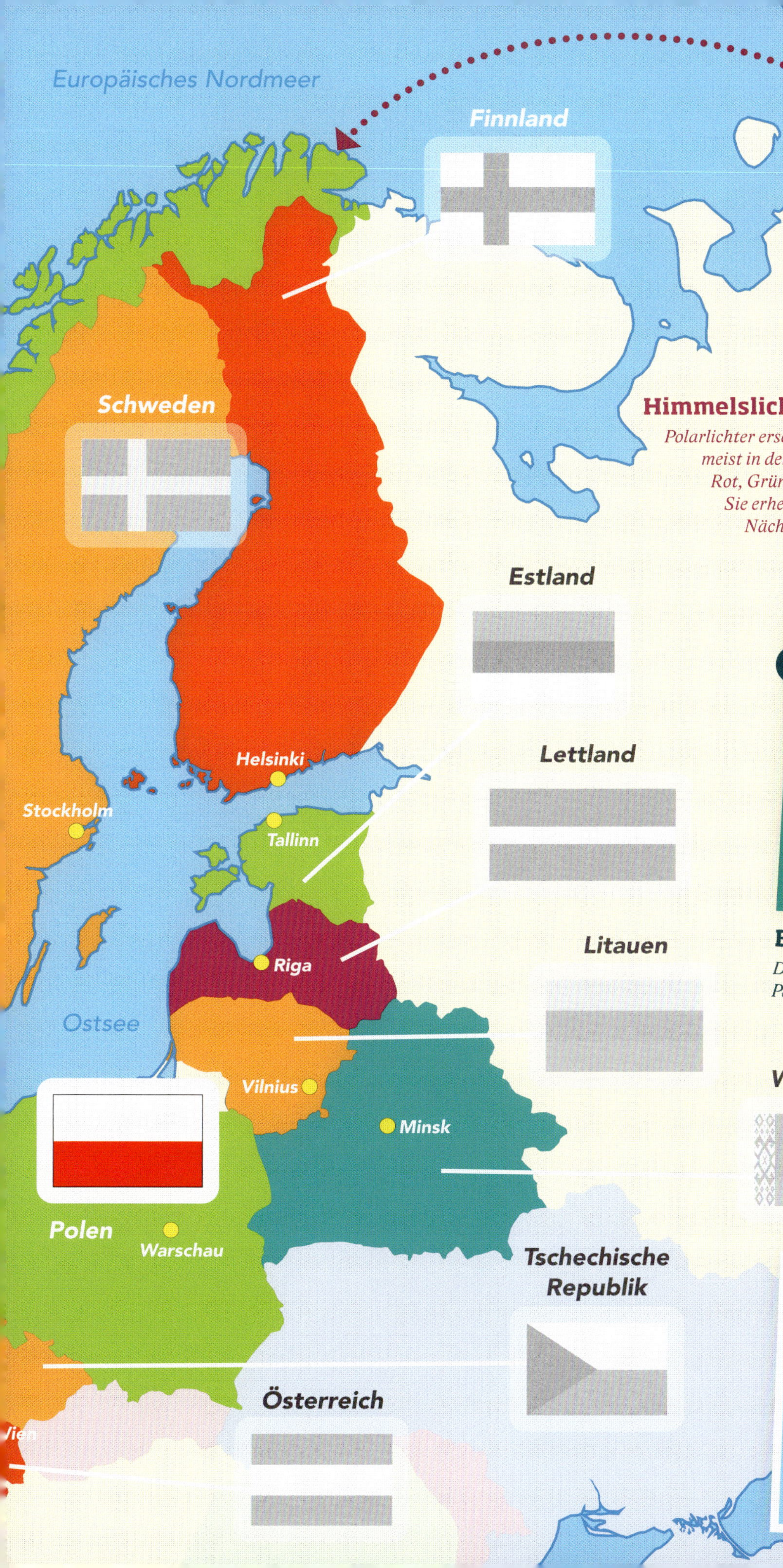

Himmelslichter

Polarlichter erscheinen meist in den Farben Rot, Grün und Blau. Sie erhellen in klaren Nächten die Regionen um den Nordpol.

Big Ben

Der 1858 erbaute Uhrenturm ist Teil des britischen Parlamentsgebäudes im Herzen Londons.

Du befindest dich hier:

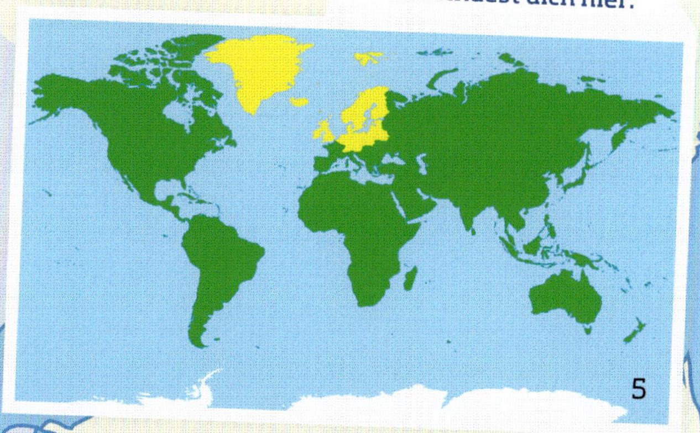

Deutschland

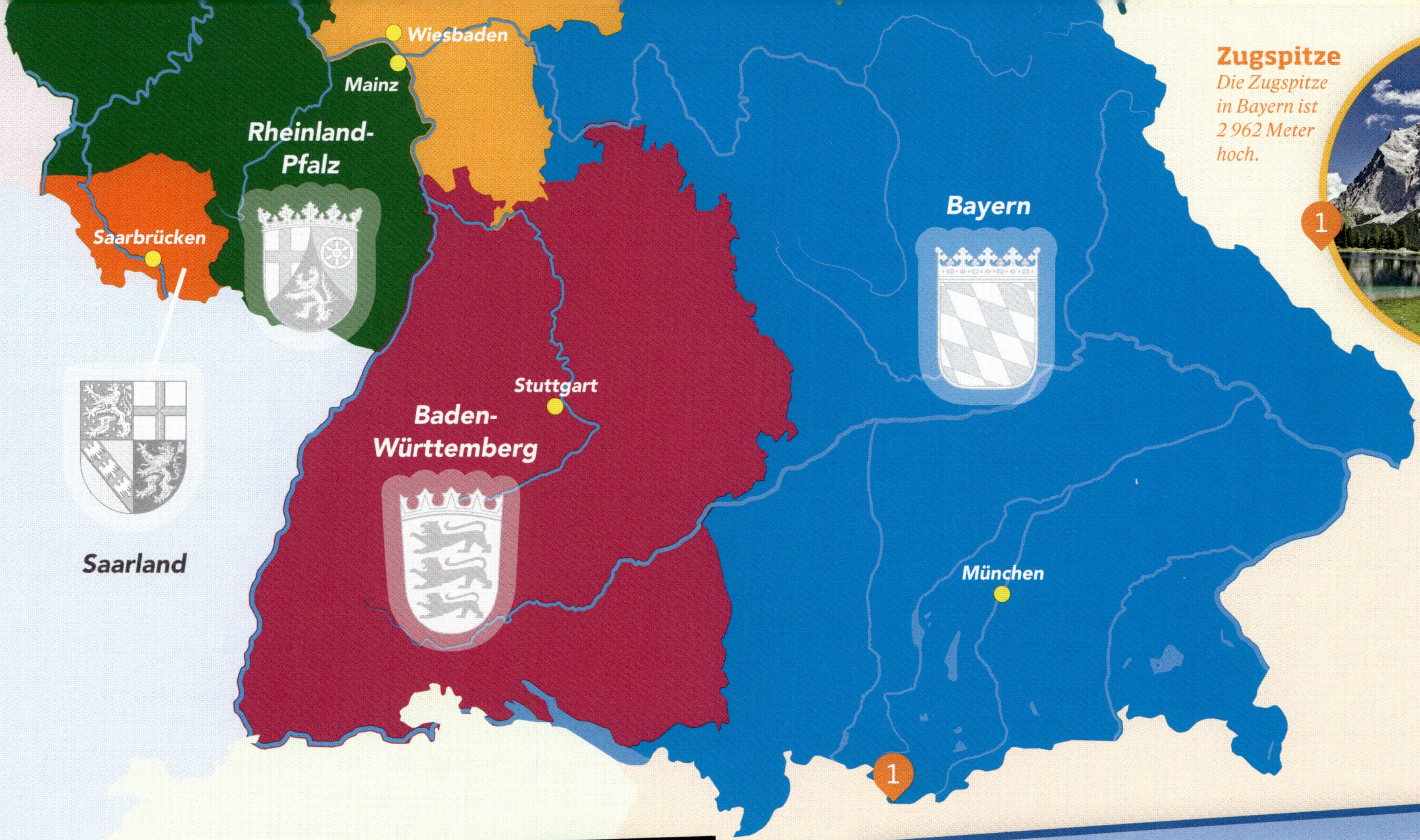

Zugspitze
Die Zugspitze in Bayern ist 2 962 Meter hoch.

Bundesadler
Der Adler ist das Wappentier der Bundesrepublik Deutschland.

Bundestag
Das Reichstagsgebäude in Berlin ist der Sitz des Deutschen Bundestages.

Österreich

Alm

In den traditionell aus Holz gefertigten Almhütten lebten die Menschen früher unter einem Dach mit dem Vieh.

Steinadler

Die imposanten Tiere nisten hoch oben in Baumkronen und in Felsnischen.

Salzburg

Tirol

Vorarlberg

Energie aus Wasser

Um elektrischen Strom zu erzeugen, wird in Kaprun im Bundesland Salzburg Wasser aufgestaut. Über Turbinen werden Generatoren angetrieben und so Energie gewonnen.

Wiener Burgtheater

Prachtbauten wie das Wiener Burgtheater locken Millionen von Touristen in die österreichische Hauptstadt.

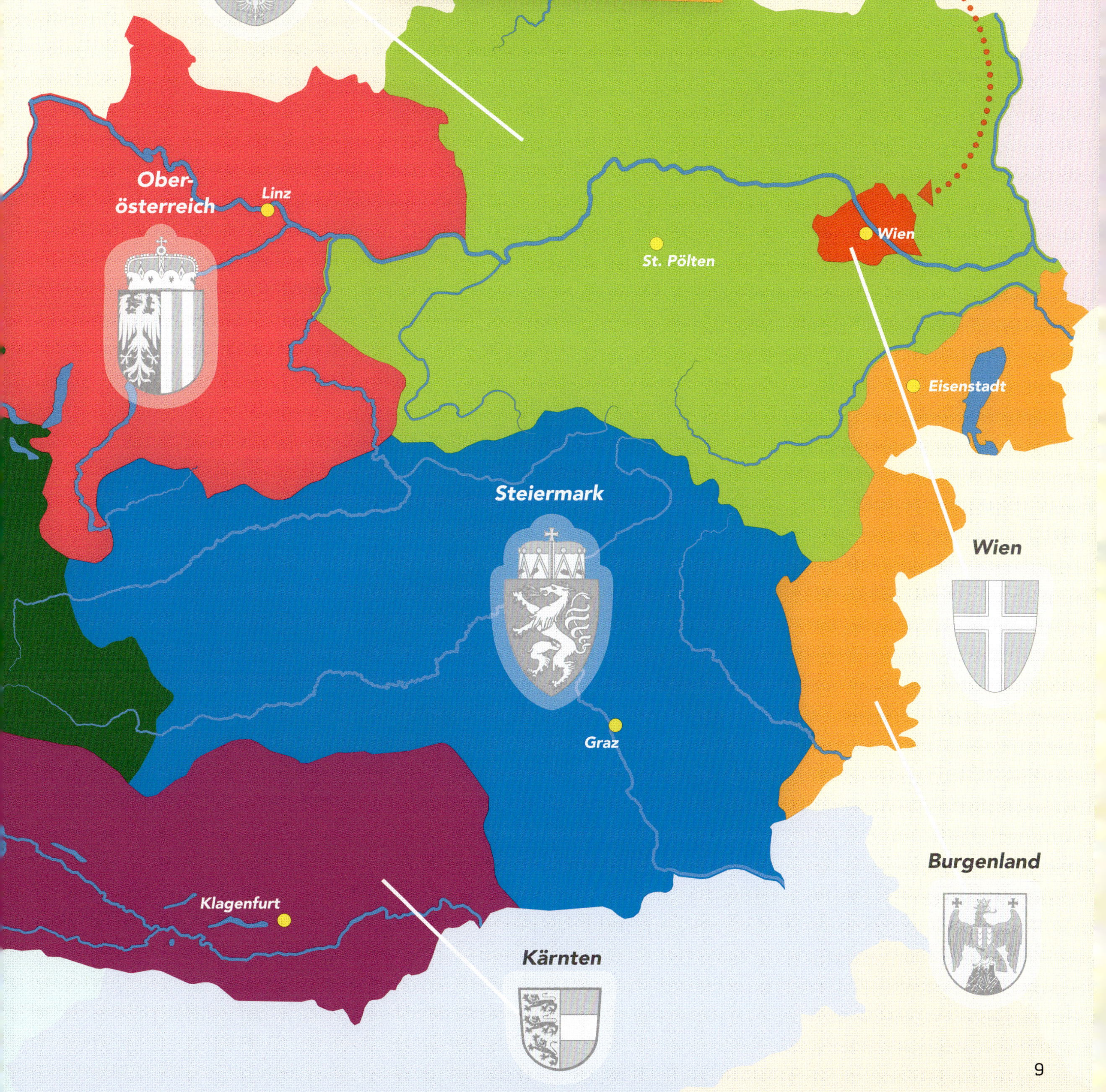

Schweiz

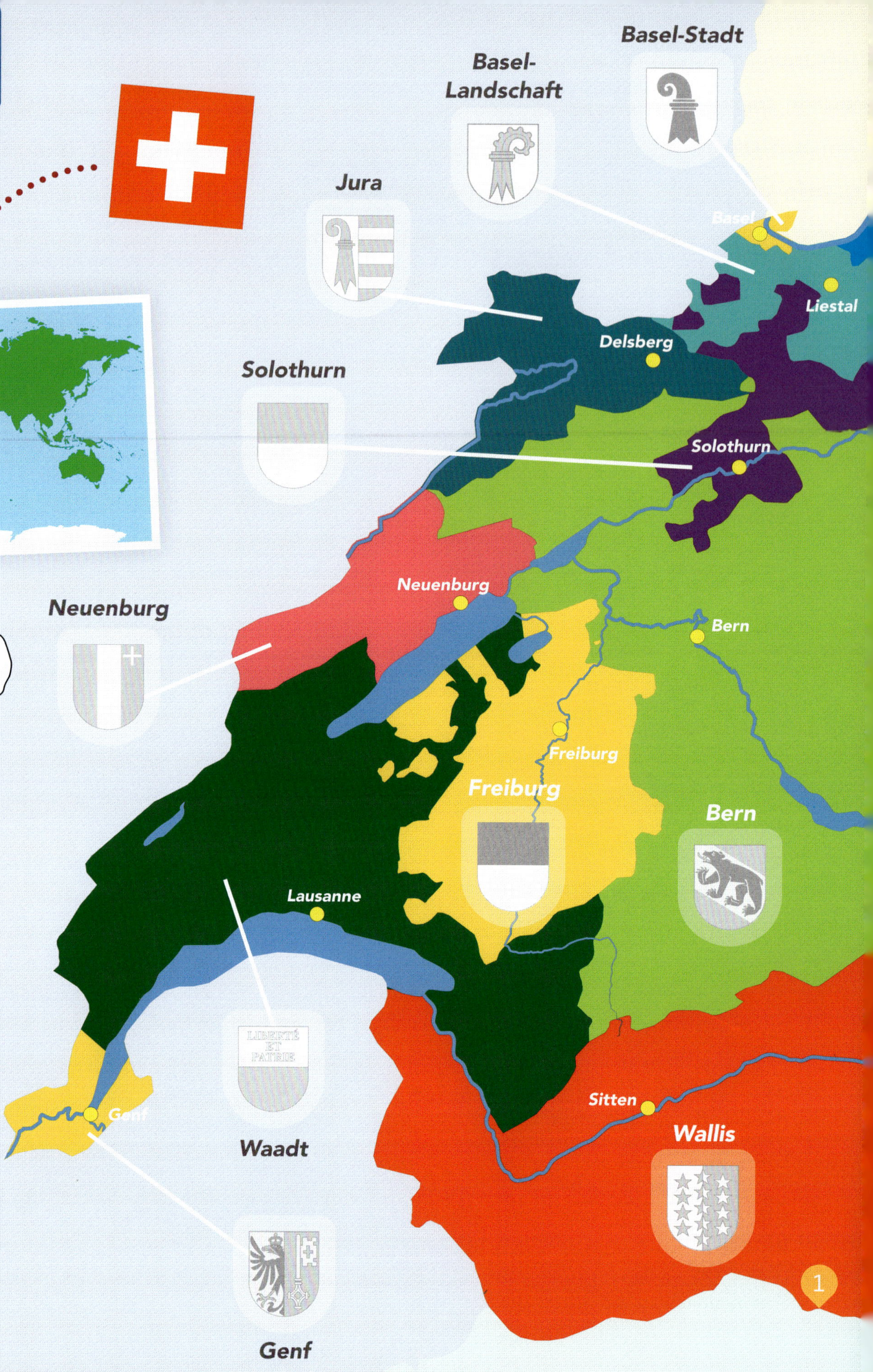

Murmeltier

Das Murmeltier lebt in unterirdischen Höhlen, wo es auch seinen Winterschlaf abhält. In einem Bau schläft meist die ganze Familie.

Matterhorn

Der markante Gipfel des Matterhorns ist weltberühmt.

Südwestliches Europa

Sierra Nevada

Die Sierra Nevada ist das höchste Gebirge der Pyrenäenhalbinsel.

Zitronenbäume

Im Süden Italiens und auf Sizilien werden Zitronen angebaut.

Eiffelturm

Der 324 Meter hohe Eiffelturm steht in Paris. Er ist das Wahrzeichen der Stadt und weltberühmt.

Kolosseum

In der italienischen Hauptstadt Rom steht das Kolosseum. Hier haben einst Gladiatoren gekämpft.

Südöstliches Europa

Plitvicer Seen

Im Nationalpark Plitvicer Seen wurden schon viele Filme gedreht.

Du befindest dich hier:

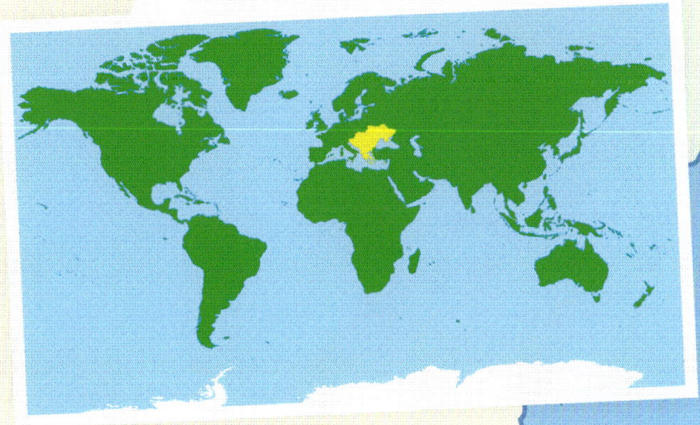

Kaneo-Kirche

Am Ohridsee in Mazedonien wurde im 13. Jahrhundert die Kirche des Heiligen Johannes von Kaneo erbaut.

Akropolis

Die Tempel der Akropolis stammen aus dem antiken Griechenland.

Nordamerika und Mexiko

Niagarafälle

Tosend stürzt das Wasser der Niagarafälle in die Tiefe.

Weißkopf-seeadler

Das Wappentier der USA ist besonders häufig in Alaska anzutreffen.

Kukulcán-Tempelpyramide

Das Mayaheiligtum im Urwald ist Teil der Ruinenstadt Chichén Itzá auf der mexikanischen Halbinsel Yucatán.

Du befindest dich hier:

USA

Vereinigte Staaten von Amerika (USA)
Atlantischer Ozean
Golf von Mexiko
Pazifischer Ozean
MAINE
Augusta
NEW HAMPSHIRE
Concord
VERMONT
Montpelier
MASSA-CHUSETTS
Boston
Providence
RHODE ISLAND
CONNETICUT
Hartford
NEW JERSEY
Trenton
DELAWARE
Dover
MARYLAND
Annapolis
Washington, D.C.
NEW YORK
Albany
PENNSYLVANIA
Harrisburg
WEST VIRGINIA
Charleston
VIRGINIA
Richmond
NORTH CAROLINA
Raleigh
SOUTH CAROLINA
Columbia
GEORGIA
Atlanta
FLORIDA
Tallahassee
OHIO
Columbus
MICHIGAN
Lansing
INDIANA
Indiana-polis
KENTUCKY
Frankfort
TENNESSEE
Nashville
ALABAMA
Montgomery
MISSISSIPPI
Jackson
LOUISIANA
Baton Rouge
WISCONSIN
Madison
ILLINOIS
Springfield
MISSOURI
Jefferson City
ARKANSAS
Little Rock
MINNESOTA
Saint Paul
IOWA
Des Moines
KANSAS
Topeka
OKLAHOMA
Oklahoma City
TEXAS
Austin
NORTH DAKOTA
Bismarck
SOUTH DAKOTA
Pierre
NEBRASKA
Lincoln
COLORADO
Denver
NEW MEXICO
Santa Fe
MONTANA
Helena
WYOMING
Cheyenne
UTAH
Salt Lake City
ARIZONA
Phoenix
IDAHO
Boise
WASHINGTON
Olympia
OREGON
Salem
NEVADA
Carson City
KALIFORNIEN
Sacramento
ALASKA
Juneau
HAWAII
Honolulu

Mittelamerika und Karibik

Fischertukan
Der bunte Vogel lebt in den Regenwäldern Mittelamerikas.

Du befindest dich hier:

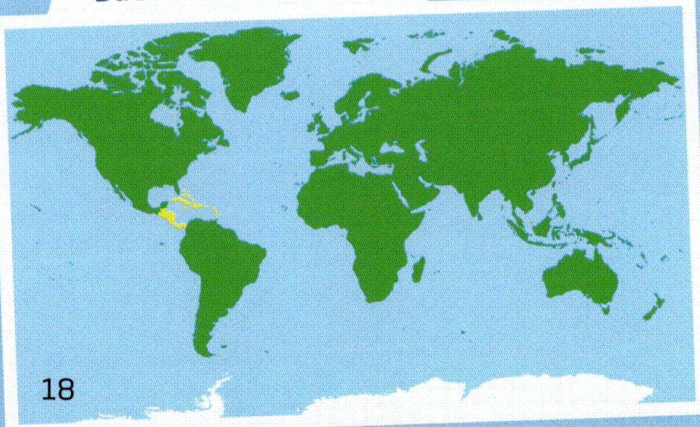

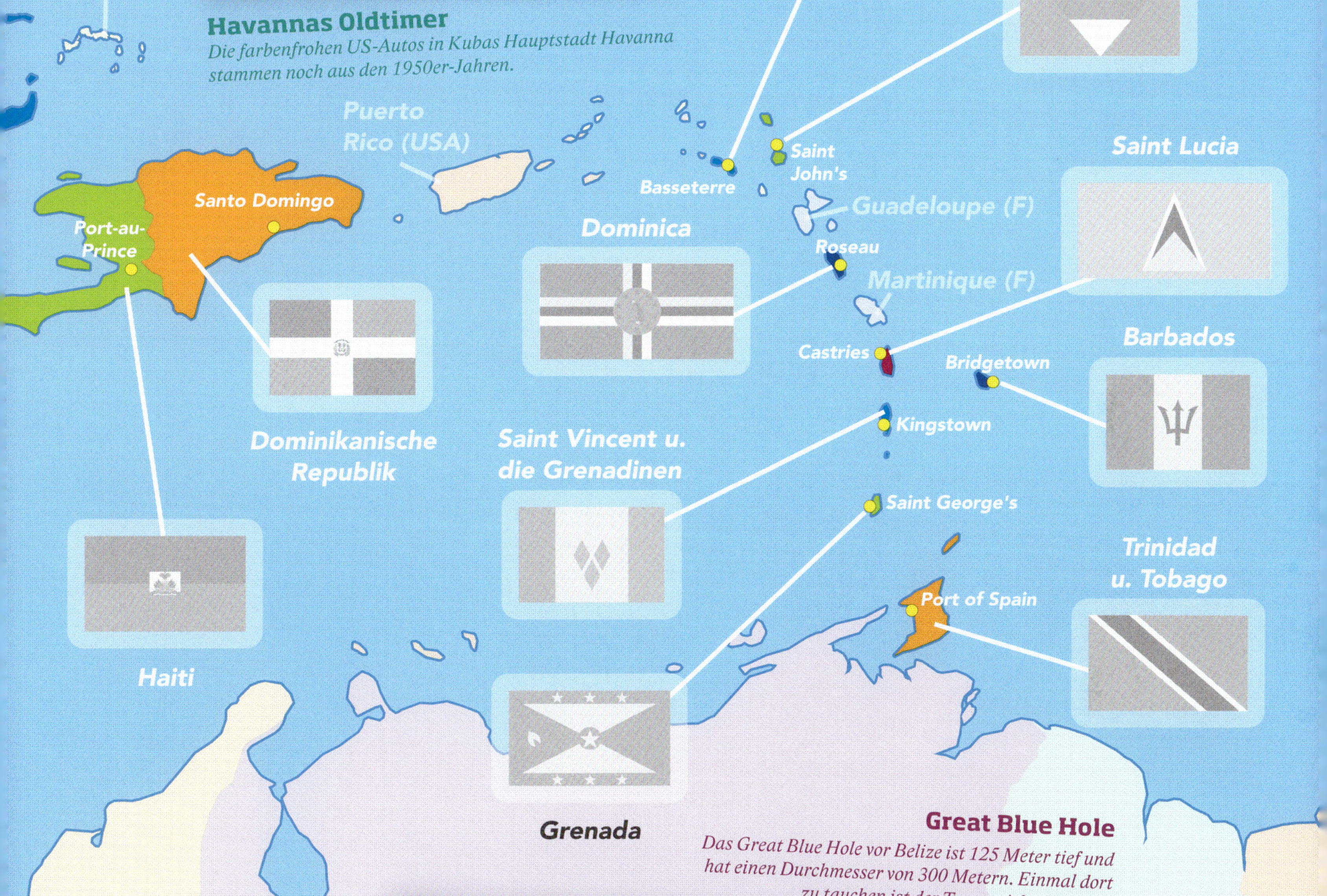

Havannas Oldtimer

Die farbenfrohen US-Autos in Kubas Hauptstadt Havanna stammen noch aus den 1950er-Jahren.

Great Blue Hole

Das Great Blue Hole vor Belize ist 125 Meter tief und hat einen Durchmesser von 300 Metern. Einmal dort zu tauchen ist der Traum vieler Taucher.

Nördliches Südamerika

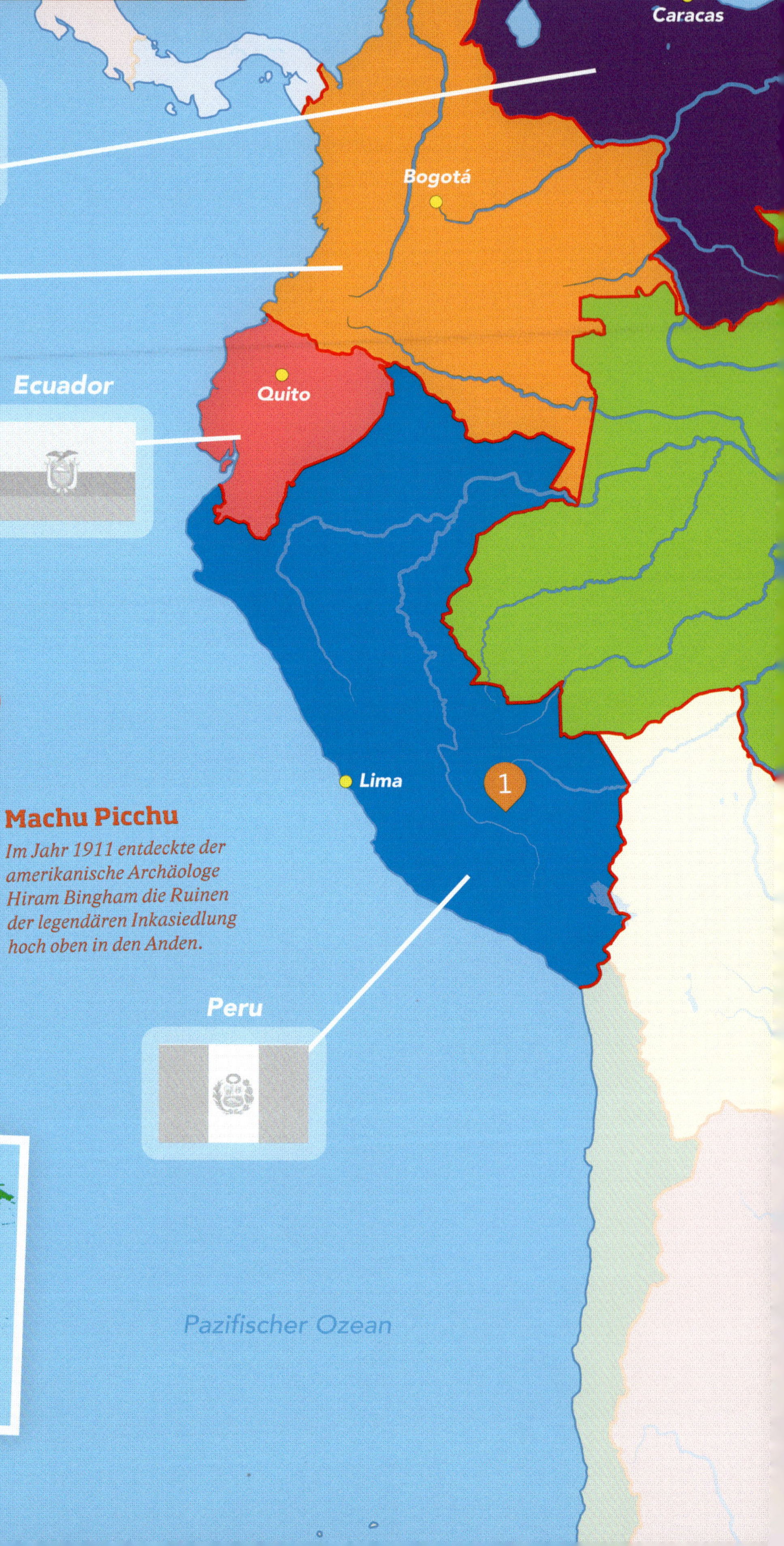

Machu Picchu

Im Jahr 1911 entdeckte der amerikanische Archäologe Hiram Bingham die Ruinen der legendären Inkasiedlung hoch oben in den Anden.

Du befindest dich hier:

Rio de Janeiro

Hoch oben über der Stadt steht die weltberühmte, riesige Christusstatue.

Achtung giftig!

Alle Arten der Pfeilgiftfrösche sind auffällig gefärbt.

Amazonas

Der Fluss Amazonas ist etwa 6 800 Kilometer lang und weit verzweigt.

Südliches Südamerika

Salar de Uyuni

Der Salar de Uyuni ist eine mehr als 10 000 Quadratkilometer große Salzpfanne. Hier findet man eines der größten Lithiumvorkommen der Welt.

Punta Arenas

Von der südlichsten Großstadt der Welt starten Flüge in die Antarktis.

Atacama-Wüste

Im Norden Chiles liegt die mehr als 950 Kilometer lange Atacama-Wüste. Sie ist eine der trockensten Gegenden des Planeten. Der kalte Humboldtstrom verhindert, dass sich hier Regenwolken bilden können.

Capybara

Das größte heute noch vorkommende Nagetier wird auch Wasserschwein genannt.

Nordwestliches Afrika

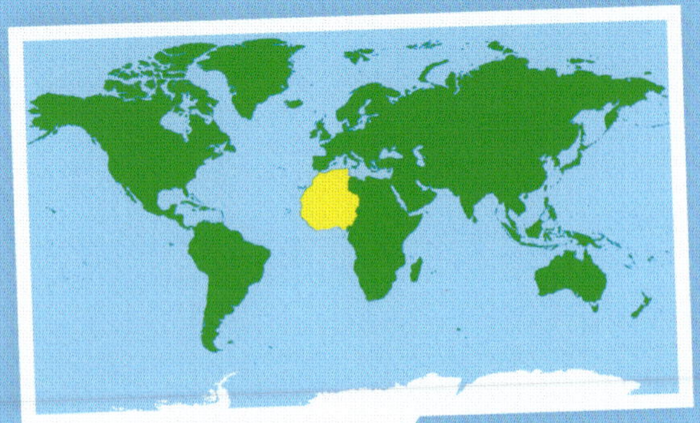

Du befindest dich hier:

Baumziegen

Diese Ziegen lassen sich die Früchte des Arganbaumes schmecken.

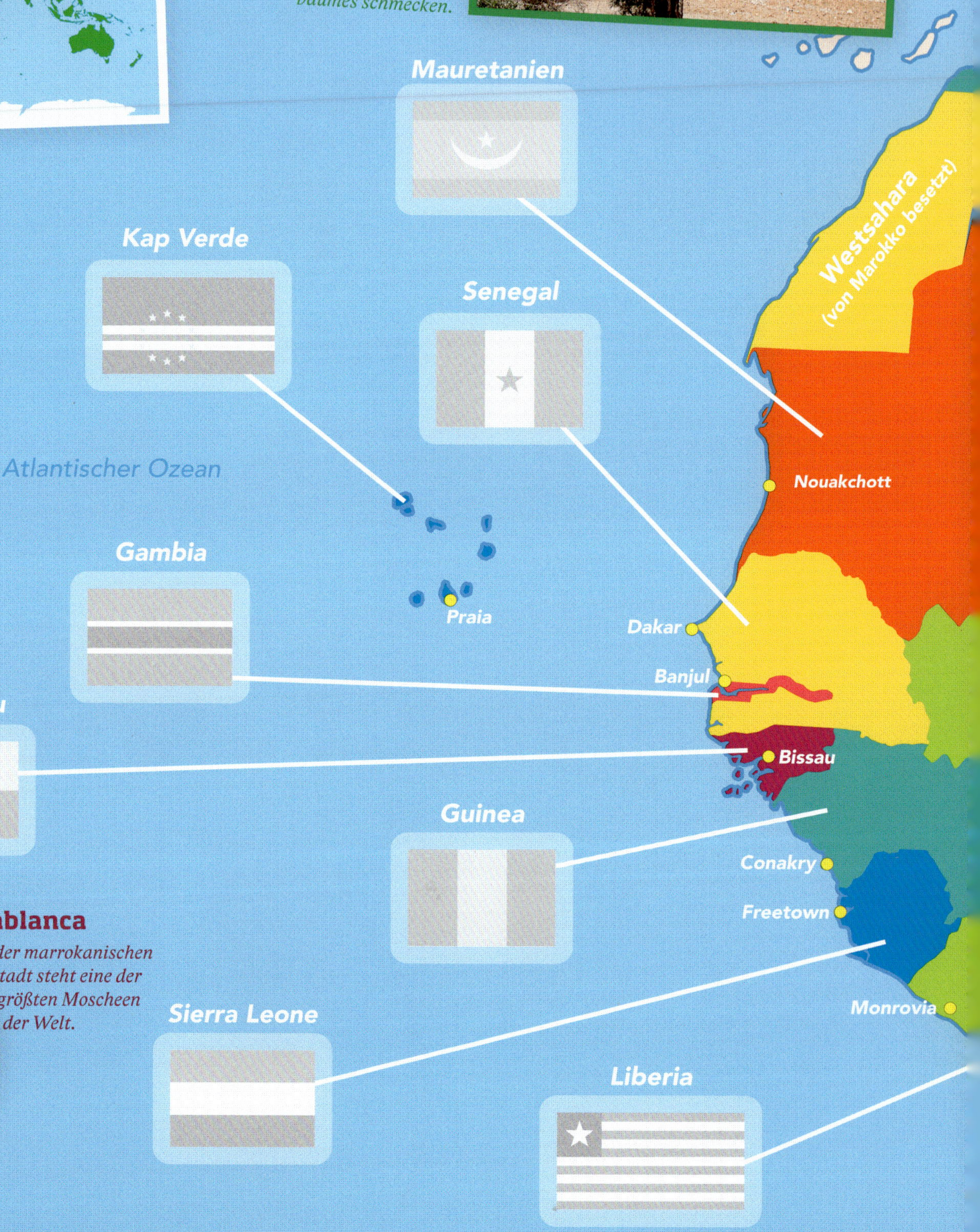

Casablanca

In der marrokanischen Stadt steht eine der größten Moscheen der Welt.

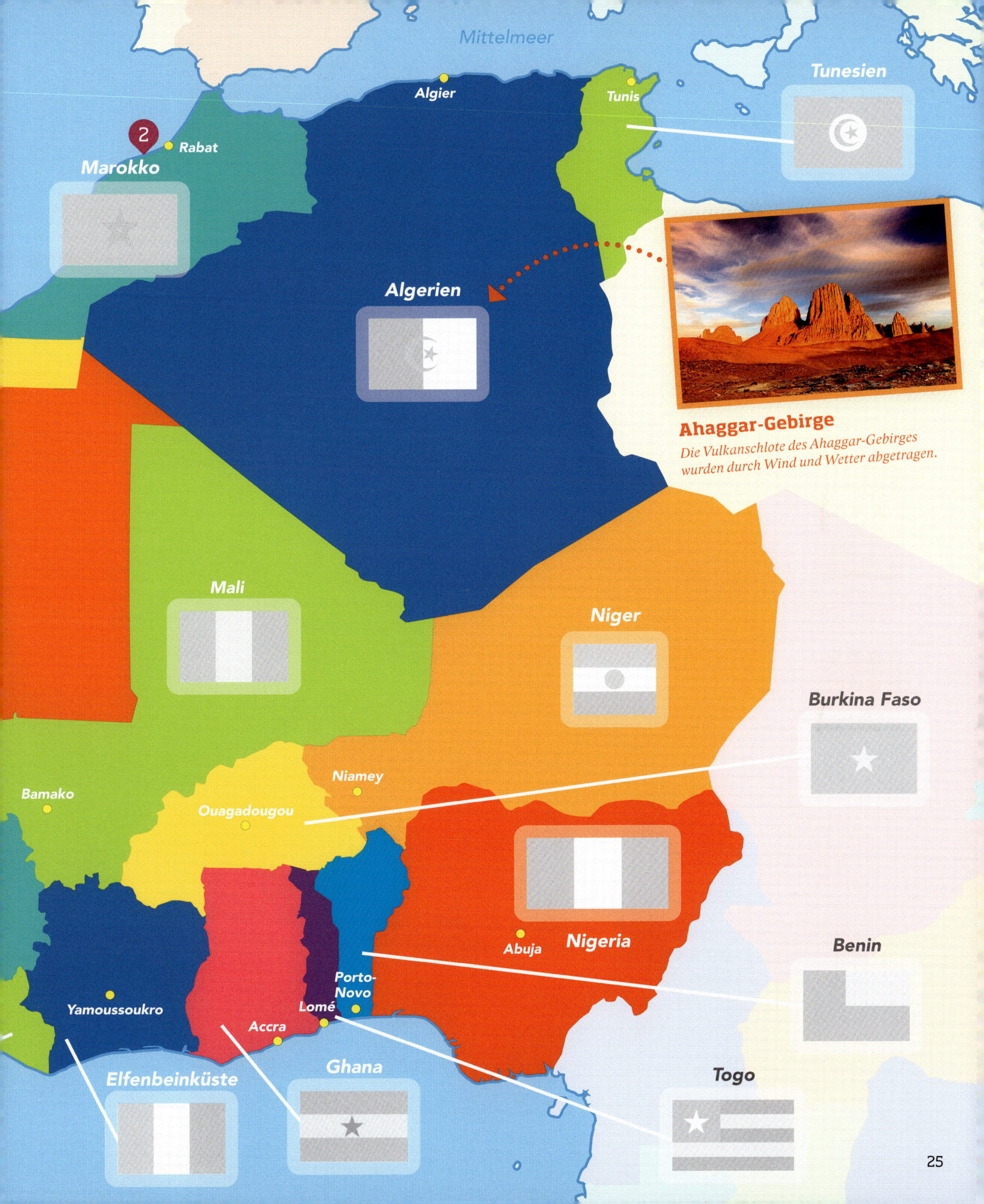

Ahaggar-Gebirge

Die Vulkanschlote des Ahaggar-Gebirges wurden durch Wind und Wetter abgetragen.

Nordöstliches Afrika

Wüste Sahara

Nur ein Fünftel der etwa neun Millionen Quadratkilometer großen Sahara besteht aus Sand, der Rest ist Fels- und Steinwüste.

Du befindest dich hier:

Lebensader Nil

Die jährlichen Überschwemmungen bringen fruchtbaren Schlamm an die Ufer des Nils.

Südliches Afrika

Massai-Krieger

Die Massai leben in Tansania und Kenia. Junge Krieger zeigen beim Springtanz namens Adumu ihre Stärke.

Indri

Die größte Lemurenart ist bekannt für laute Gesänge am Morgen.

Australien, Neuseeland, Ozeanien

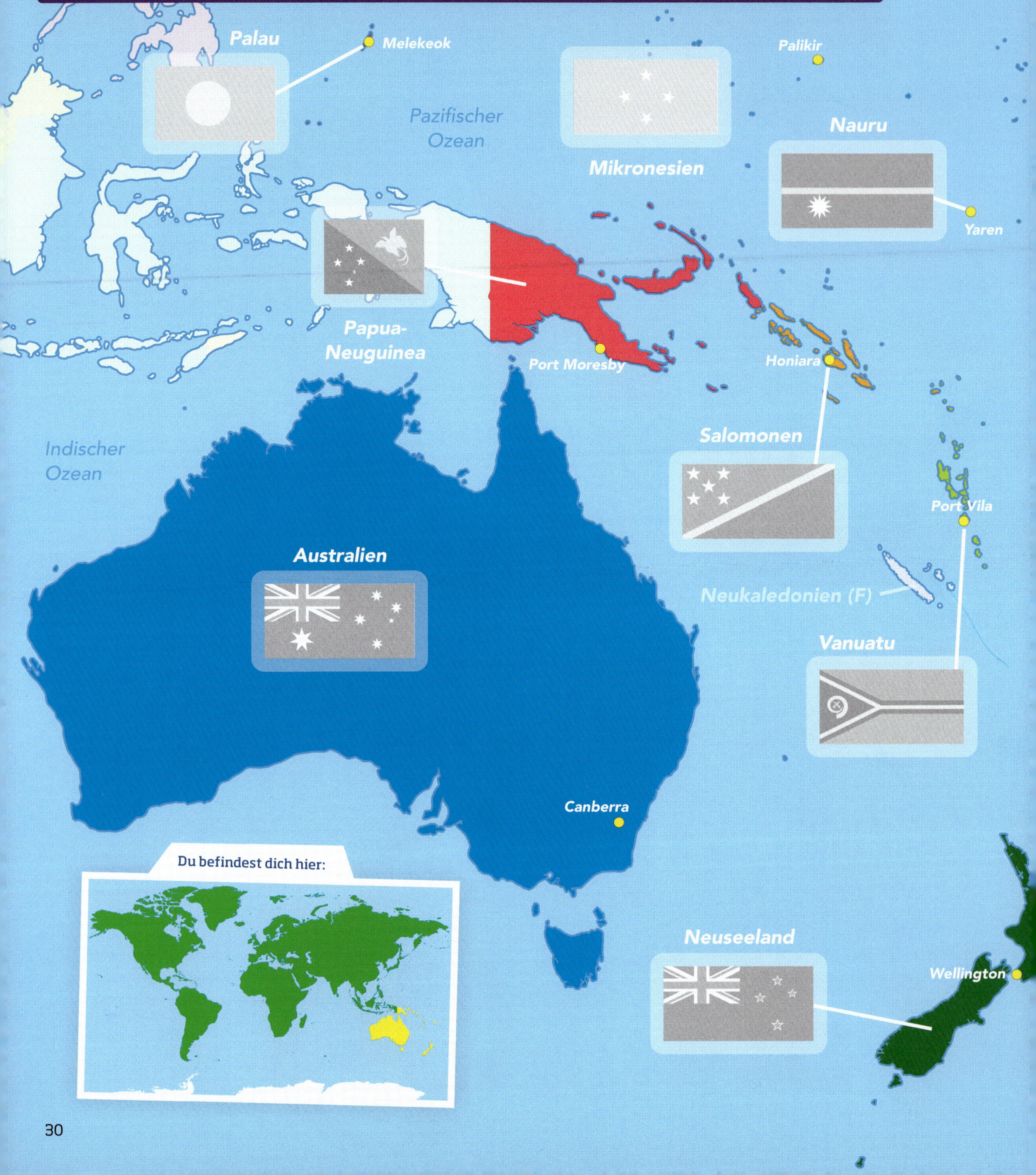

Marshallinseln

Majuro

South Tarawa

Kiribati

Tuvalu

Funafuti

Samoa

Apia

Suva

Nuku'alofa

Tonga

Fidschi

Bora Bora (F)

Französ. Polynesien (F)

Tahiti (F)

Pazifischer Ozean

Mururoa-Atoll (F)

Hobbithöhle

Kiribati

Da der Klimawandel den Meeresspiegel stetig ansteigen lässt, werden die Bewohner Kiribatis vermutlich irgendwann auf die höher gelegenen Fidschi-Inseln umziehen.

Land der Hobbits

Die bekannte Tolkien-Trilogie »Herr der Ringe« wurde in Neuseeland verfilmt.

Känguru

Kängurus können auf ihren kräftigen Hinterbeinen stehen und bewegen sich hüpfend fort.

Nord- und Ostasien

Zwiebeltürme
Die Basilius-Kathedrale mit ihren bunten Türmen steht auf dem Roten Platz in Moskau.

➔ Rekord

25 Mio.

Jahre alt ist der Baikalsee. Er ist damit der älteste Süßwassersee der Erde.

Chinesische Mauer
Die kilometerlange Mauer wurde errichtet, um wilde Reiterheere abzuhalten.

Naher Osten und Kleinasien

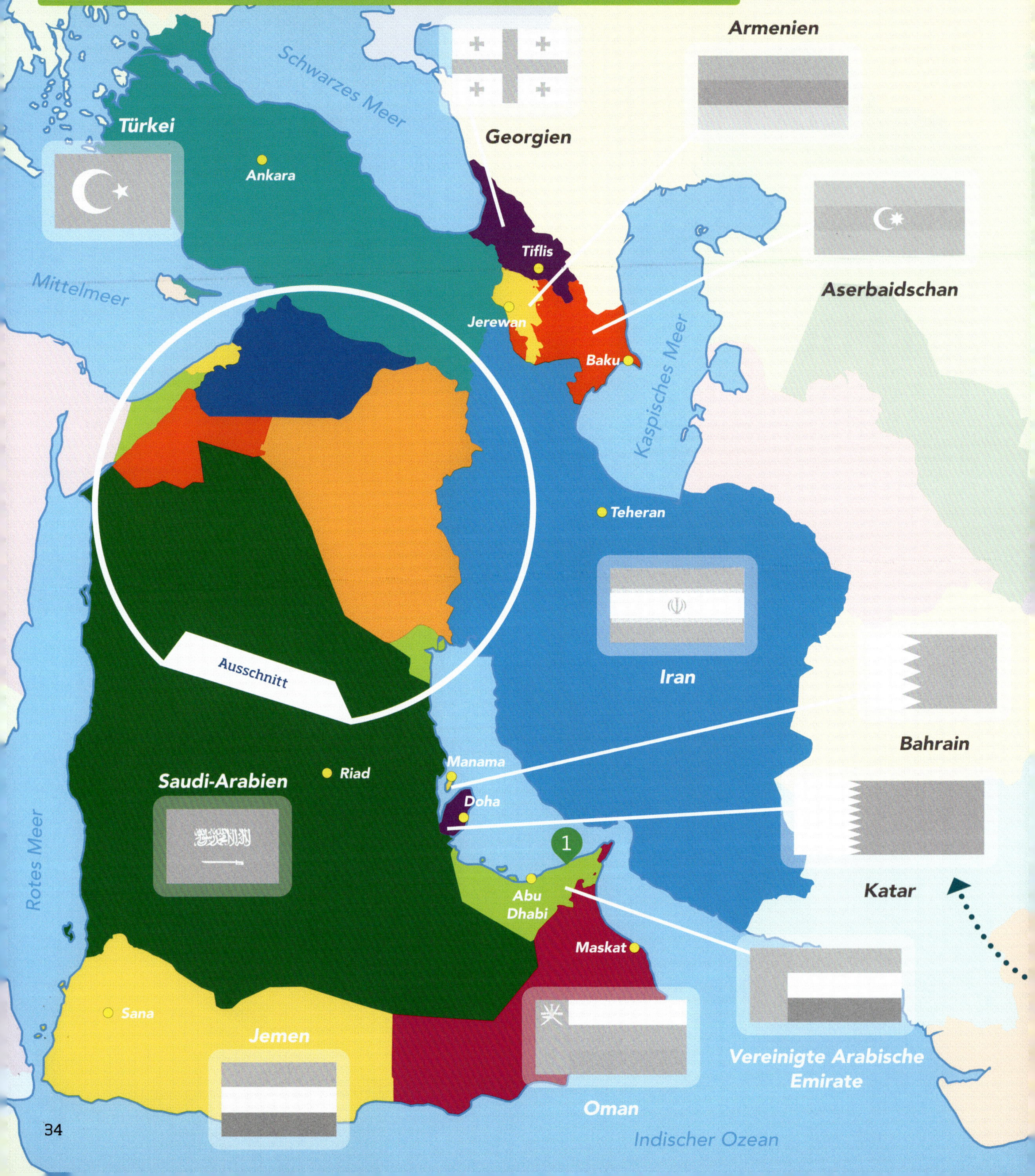

Jerusalem

In der Stadt Jerusalem befinden sich wichtige Orte der Religionen Judentum, Christentum und Islam.

Du befindest dich hier:

Syrien

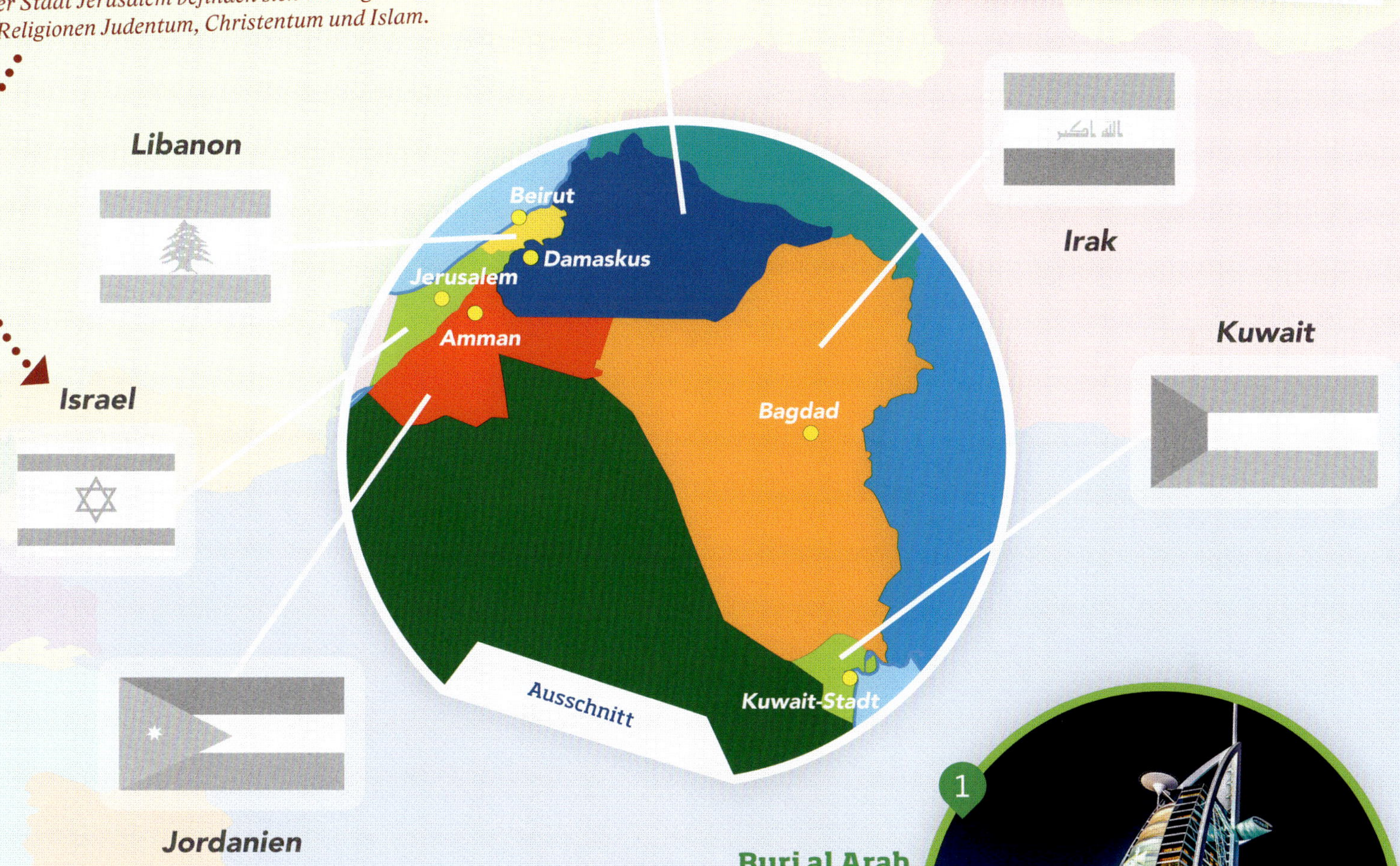

Burj al Arab

Das Luxushotel in Dubai ist 321 Meter hoch.

Dugong

Diese Seekühe werden bis zu 900 Kilogramm schwer. Um ihr Gewicht zu halten, fressen sie den ganzen Tag.

Zentralasien und Südasien

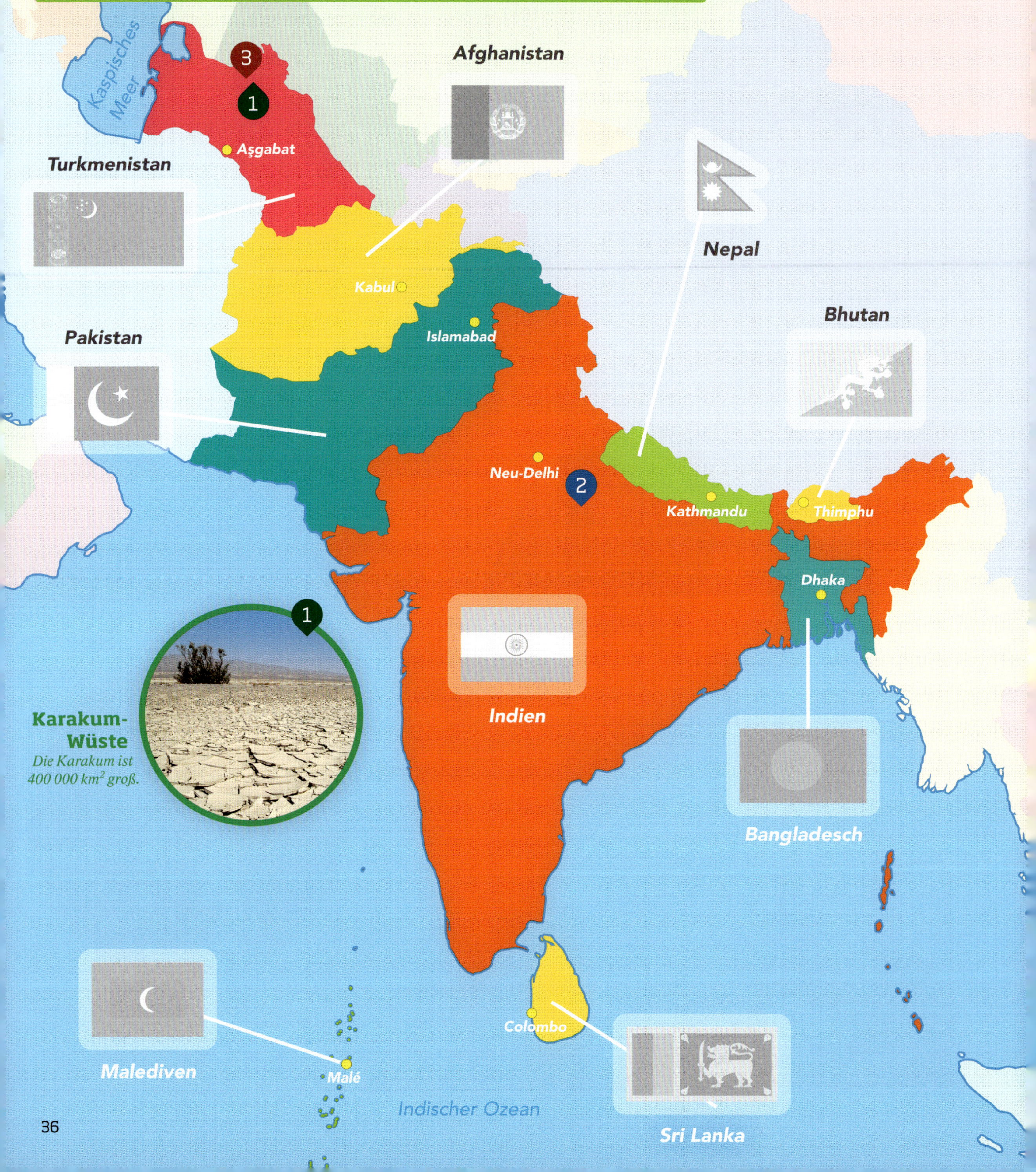

Tor zur Hölle

Das große Loch entstand 1971, als ein Bohrturm durch den Boden brach. Man versuchte, das ausströmende Gas abzufackeln. Seitdem brennt der riesige Krater jedoch ohne Unterlass.

Taj Mahal

Was aussieht wie ein Palast, ist eigentlich ein riesiges Grabmal. Es wurde im 17. Jahrhundert durch Großmogul Shah Jahan errichtet.

Ganesha

Der Elefantengott wird von den Hindus besonders verehrt.

Malediven

Das Inselparadies im Indischen Ozean zieht viele Touristen an.

Südostasien

Schon gewusst?

Der Kleine Panda wird auch Katzenbär genannt, weil er sich ähnlich wie eine Katze regelmäßig putzt.

Angkor Wat

Die Tempelanlage in Kambodscha ist etwa 800 Jahre alt und zeugt vom Reichtum des vergangenen Khmer-Reichs.

Singapur

Die Skyline Singapurs steht für den wirtschaftlichen Aufschwung Südostasiens.

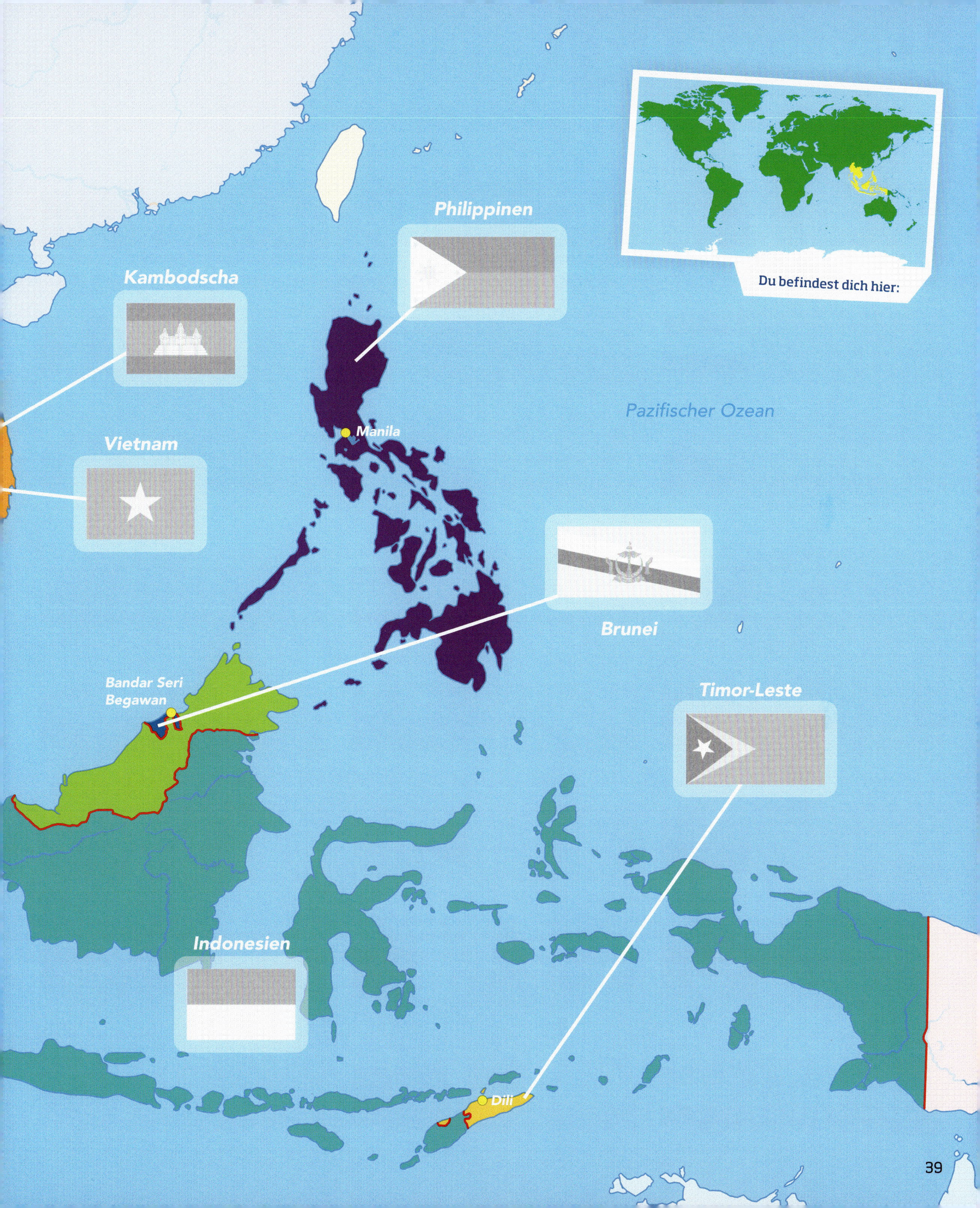
Du befindest dich hier:
Philippinen
Kambodscha
Vietnam
Manila
Pazifischer Ozean
Brunei
Bandar Seri Begawan
Timor-Leste
Indonesien
Dili

Länder von A-Z

Afghanistan

Ägypten

Albanien

Algerien

Andorra

Angola

Antigua
und Barbuda

Äquatorialguinea

Argentinien

Armenien

Aserbaidschan

Äthiopien

Australien

Bahamas

Bahrain

Bangladesch

Barbados

Belgien

Belize

Benin

Bhutan

Bolivien

Bosnien und
Herzegowina

Botsuana

Brasilien 

Brunei 

Bulgarien 

Burkina Faso 

Burundi 

Chile 

China 

Costa Rica 

Dänemark 

Deutschland 

Demokratische Republik Kongo 

Dominica 

Dominikanische Republik 

Dschibuti 

Ecuador 

El Salvador 

Elfenbeinküste 

Eritrea 

Estland 

Eswatini 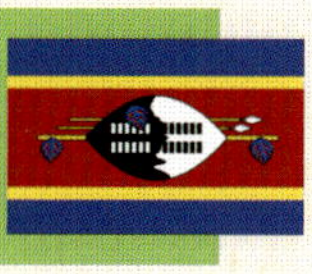

Fidschi 

Finnland 

Frankreich 

Gabun 

Gambia 

Georgien 

Ghana 

Grenada 

Griechenland 

Großbritannien 

Guatemala 

Guinea 

Guinea-Bissau 

Guyana 

Haiti 

Honduras 

Indien 

Indonesien 

Irak 

Iran 

Irland 

Island 

Israel 

Italien 

Jamaika 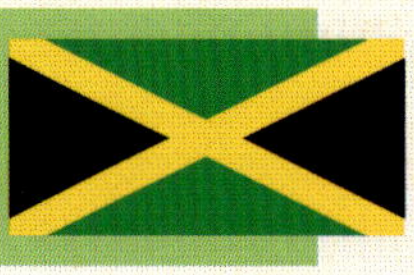

Japan 

Jemen 

Jordanien 

Kambodscha 

Kamerun 

Kanada 

Kap Verde 

Kasachstan 

Katar 

Kenia

Kirgisistan

Kiribati

Kolumbien

Komoren

Kosovo

Kroatien

Kuba

Kuwait
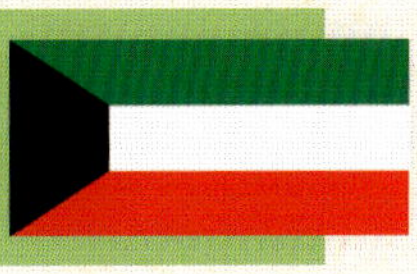

Laos

Lesotho

Lettland

Libanon

Liberia

Libyen

Liechtenstein

Litauen

Luxemburg

Madagaskar

Malawi

Malaysia

Malediven

Mali

Malta

Marokko

Marshallinseln

Mauretanien

Mauritius 

Mazedonien 

Mexiko 

Mikronesien 

Moldau 

Monaco 

Mongolei 

Montenegro 

Mosambik 

Myanmar 

Namibia 

Nauru 

Nepal 

Neuseeland 

Nicaragua 

Niederlande 

Niger 

Nigeria 

Nordkorea 

Norwegen 

Oman 

Österreich 

Pakistan 

Palau 

Panama 

Papua-Neuguinea 

Paraguay 

Peru

Phillipinen

Polen

Portugal

Republik Kongo

Ruanda

Rumänien

Russland

Saint Kitts und Nevis

Saint Lucia

Saint Vincent und die Grenadinen

Salomonen

Sambia

Samoa

San Marino

São Tomé und Príncipe

Saudi-Arabien

Schweden

Schweiz

Senegal

Serbien

Seychellen

Sierra Leone

Simbabwe

Singapur

Slowakei

Slowenien

Somalia

Spanien

Sri Lanka

Südafrika

Sudan

Südkorea

Südsudan
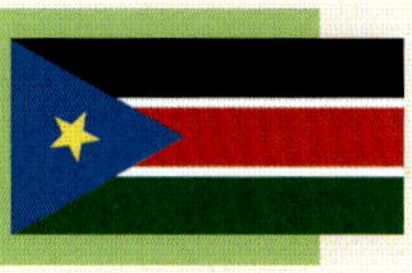

Suriname

Syrien

Tadschikistan

Taiwan

Tansania

Thailand

Timor-Leste

Togo

Tonga

Trinidad und Tobago

Tschad

Tschechische Republik

Tunesien

Türkei

Turkmenistan

Tuvalu

Uganda

Ukraine

Ungarn

Uruguay

Usbekistan 

Vereinigte Staaten von Amerika (USA) 

Vanuatu 

Vietnam 

Vatikanstadt 

Weißrussland 

Venezuela 

Zentralafrikanische Republik 

Vereinigte Arabische Emirate 

Zypern 

Bildnachweis

Bildquellennachweis:

Archiv Tessloff: 3r, 5ur, 7ur, 8ul, 10ol, 13mr, 15or, 16ul, 18ul, 20ul, 23om, 24ol, 26ul, 28ul, 30ul, 33or, 35or, 37ur, 39or; **picture alliance:** 10ml (Murmeltier: Sailer/Schnizler/blickwinkel); **Schmeling, Michael:** (www.aridocean.com): 4ol, 4-5Hg., 6-7Hg., 8-9Hg., 10-11Hg., 12-13Hg., 16Hg, 17, 18-19Hg., 20-21Hg, 22-23Hg., 24-25Hg., 26-27Hg., 28-29Hg., 30-31Hg., 32-33Hg., 34-35Hg, 36-37Hg., 38-39Hg.; **Shutterstock:** 2-3Hg. (Morrowind), 2mr (Europa: Mariaplr), 2or (Rotes Kreuz: TurnerArt), 4-5 (Dänemark: T. Lesia), 4-5 (Irland: kristinasavkov), 4-5 (Großbritannien: T. Lesia), 4-5 (Belgien: T. Lesia), 4-5 (Schweiz: Route66), 4-5 (Deutschland: T. Lesia), 4-5 (Schweden: Julinzy), 4-5 (Finnland: T. Lesia), 4-5 (Estland: Globe Turner), 4-5 (Weißrussland: Janathong), 4-5 (Österreich: konstantinks), 4-5 (Tschechische Republik: VectorShop), 5or (Vadim Petrakov), 5mr (Big Ben: S.Borisov), 7mr (Deutschland: T. Lesia), 7ur (Bundestag: Andrew Buckin), 8om (Österreich: konstantinks), 8ml (Steinadler: yykkaa), 8um (Kaprun:auphoto), 9or (Burgtheater: canadastock), 10ml (Schweiz: Route66), 11ur (Matterhorn: kataleewan intarachote), 12ol (Zack Frank), 12 (Portugal: Gil C), 12 (Spanien: Artgraphixel), 12 (Andorra: SmileStudio), 12 (Frankreich: Anatoly Tiplyashin), 12ur (Zitronen: teps4545), 13 (Vatikanstadt: Piotr Przyluski), 13 (San Marino: the_lazy_pigeon), 13 (Malta: ASUWAN MASAE), 13 (Italien: Anatoly Tiplyashin), 13or (beboy), 13ur (Belenos), 13 (Monaco: Piotr Przyluski), 14 (Bosnien und Herzegowina: Globe Turner), 14 (Montenegro: Ricky Edwards), 14 (Slowenien: aomvector), 14 (Kroatien: Gil C), 14 (Albanien: Artgraphixel), 14 (Slowakei: Globe Turner), 14 (Ungarn: admin_design), 14 (Rumänien: Globe Turner), 14 (Griechenland: Globe Turner), 15mr (outcast85), 15 (Kosovo: PATIWIT HONGSANG), 15 (Ukraine: M. Shcherbyna), 15 (Moldau: aomvector), 15 (Serbien: dicogm), 15 (Bulgarien: mavl), 15 (Mazedonien: Globe Turner), 15 (Zypern: Julinzy), 15ul (Samot), 16or (Nikola Bilic), 16ol (Chris Hill), 18ol (DeLoyd Huenink), 19um (Globe Guide Media Inc), 20 (Venezuela), 21or (Zuckerhut: Marc Turcan), 21mr (Dirk Ercken), 21ur (Filipe Frazao), 22ul (Salar de Uyuni: Peky), 22um (Punta Arenas: Ekaterina Pokrovsky), 23 (Uruguay: Gil C), 23um (Atacama: sunsinger), 24 (Gambia: Julinzy), 24 (Guinea-Bissau: Passakorn Umpornmaha), 24 (Guinea: alvindom), 24or (Baumziegen: Yulia Tamonis), 24ul (Casablanca: Vladislav T. Jirousek), 25 (Elfenbeinküste: Stakes), 25 (Ghana: Tiny Mas), 25 (Burkina Faso: konstantinks), 25 (Benin: VectorShop), 25or (Ahaggar: Dmitry Pichugin), 26ml (Sahara: Manamana), 27 (Ägypten: Photoonlife), 27 (Eritrea: Thitipat Vatanasirithum), 27 (Dschibuti: S_E), 27 (Äthiopien: G7 Stock), 28 (São Tomé und Príncipe: VectorShop), 28 (Gabun: MaluStudio), 28 (Republik Kongo: mutee meesa), 28 (Äquatorialguinea: dovla982), 28 (Sambia: Piotr Przyluski), 28 (Botswana: mavl), 28 (Namibia: Indypendenz), 28-29 (Angola: dovla982), 28 (Demokratische Republik Kongo: VectorShop), 28-29 (Komoren: Waehasman Waedarase), 28ml (Massai: Amy Nichole Harris), 29 (Lesotho: VectorShop), 29 (Kenia: Julinzy), 29 (Ruanda: konstantinks), 29 (Burundi: Julinzy), 29 (Malawi: Julinzy), 29 (Seychellen: konstantinks), 29 (Mosambik: Globe Turner), 29 (Madagaskar: noche), 29 (Mauritius: Julinzy), 29ur (Lemur: javarman), 31ul (Hobbiton: kovgabor), 31ur (kanguru: sirtravelalot), 32 (Usbekistan), 32 (Tadschikistan: Julinzy), 32 (Kirgisistan: Foxive), 32 (Kasachstan: aomvector), 32 (Russland: noche), 32 (China: Photoonlife), 33ol (Nickolay Vinokurov), 33 (Japan: T. Lesia), 33 (Demokratische Volksrepublik Korea (Nordkorea): G7 Stock), 33 (Republik Korea (Südkorea)), 33 (Taiwan: Viktorija Reuta), 34 (Türkei: Rufat Khamed), 34 (Georgien: Rufat Khamed), 34 (Armenien), 34 (Aserbaidschan: Rufat Khamed), 34 (Iran: Photoonlife), 34 (Saudi-Arabien: Gil C), 34 (Jemen: Wasan Ritthawon), 34 (Oman: Waehasman Waedarase), 34 (Bahrain: Julinzy), 34 (Katar: aomvector), 34 (Vereinigte Arabische Emirate: dovla982), 35ur (Burj Al Arab: Luciano Mortula - LGM), 35 (Syrien: Piotr Przyluski), 35 (Libanon: charnsitr), 35 (Israel: notbad), 35 (Jordanien: dovla982), 35 (Irak: Peace PhotoHunter), 35 (Kuwait: T. Lesia), 35ol (Jerusalem:Saikom), 36 (Turkmenistan: G7 Stock), 36 (Afghanistan: Sutagon Rodruangrid), 36 (Nepal: Piotr Przyluski), 36 (Bhutan: Gil C), 36 (Bangladesch: Julinzy), 36 (Pakistan: petch one), 36 (Indien: ibrandify gallery), 36 (Malediven: Viktorija Reuta), 36 (Sri Lanka), 37or (Derweze: Darkydoors), 37ul (Malediven: Stockforlife), 38ol (Hung Chung Chih), 38 (Laos: Gil C), 38 (Myanmar: Julinzy), 38 (Thailand: T. Lesia), 38 (Malaysia: Stakes), 38 (Singapur: waeruswan waesemae), 38ml (Alexey Stiop), 38ul (Chris Howey), 39 (Philippinen: Foxive), 39 (Kambodscha: Gil C), 39 (Vietnam: T. Lesia), 39 (Brunei: Asma Samoh), 39 (Timor-Leste: Malosee Dolo), 39 (Indonesien: VectorShop); **Thinkstock:** 4-5 (Island: Wavebreakmedia Ltd), 4-5 (Norwegen: Wavebreakmedia Ltd), 4-5 (Liechtenstein: Phongsiri), 4-5 (Luxemburg: PromesaArtStudio), 4-5 (Niederlande: Phongsiri), 4-5 (Lettland: HS3RUS), 4-5 (Polen: Dorling Kindersley), 4-5 (Litauen: HS3RUS), 7ol (Tinieder), 8or (manfredxy), 14ul (nikpal), 16ml (Vladone), 16 (Kanada: andriano_cz), 16 (Vereinigte Staaten von Amerika (USA): Phongsiri), 16 (Mexiko: Patiwit), 18-19 (Guatemala: Phongsiri), 18-19 (Belize: 29mokara), 18-19 (El Salvador: 29mokara), 18-19 (Costa Rica: tkacchuk), 18-19 (Bahamas: Phongsiri), 18-19 (Kuba: Dorling Kindersley), 18-19 (Honduras: Martin Cvetkovi), 18-19 (Jamaika: rep0rter), 18-19 (Nicaragua: Phongsiri), 18-19 (Panama: sigurcamp), 18-19 (Haiti: 29mokara), 18-19 (Dominikanische Republik: 29mokara), 18-19 (St. Kitts und Nevis: Hermsdorf), 18-19 (Antigua und Barbuda: rep0rter), 18-19 (St. Lucia: Hermsdorf), 18-19 (Dominica: aomvector), 18-19 (St. Vincent und die Grenadinen: aomvector), 18-19 (Grenada: 29mokara), 18-19 (Trinidad und Tobago: GA161076), 19ol (ernestosuarez), 20ml (Gerardo_Borbolla), 20 (Kolumbien: Patiwit), 20 (Ecuador: Phongsiri), 20 (Peru: Gino Santa maria), 21 (Guayana: Phongsiri), 21 (Suriname: Phongsiri), 21 (Brasilien: Phongsiri), 22 (Argentinien: Hermsdorf), 22 (Bolivien: Veronaa), 22 (Paraguay: Phongsiri), 23 (Chile: Phongsiri), 23or (Capybara: MikeLane45), 24 (Senegal: Phongsiri), 24 (Kap Verde: MekongAnimated), 24 (Sierra Leone: -Panya-), 24 (Liberia: rep0rter), 25 (Marokko: HS3RUS), 25 (Algerien: Studio_3321), 25 (Tunesien: HS3RUS), 25 (Mali: andriano_cz), 25 (Niger: GA161076), 25 (Nigeria: aomvector), 25 (Togo: Phongsiri), 26 (Kamerun: sigurcamp), 26 (Libyen: sigurcamp), 26 (Tschad: Phongsiri), 26 (Zentralafrikanische Republik: aomvector), 27 (Sudan: Phongsiri), 27 (Südsudan: Phongsiri), 27 (Somalia: Evimerusa), 27or (Nil: JudyDillon), 28 (Südafrika: Phongsiri), 29 (Uganda: Phongsiri), 29 (Tansania: Phongsiri), 29 (Simbabwe: Evimerusa), 29 (Swasiland: Phongsiri), 30 (Palau: Zoonar RF), 30 (Papua-Neuguinea: aomvector), 30 (Australien: sigurcamp), 30 (Föderierte Staaten von Mikronesien: Phongsiri), 30 (Nauru: aomvector), 30 (Salomonen: GA161076), 30 (Vanuatu: Phongsiri), 30 (Neuseeland: andriano_cz), 31 (Marshallinseln: Zoonar RF), 31 (Kiribati: Phongsiri), 31 (Tuvalu: MekongAnimated), 31 (Samoa: Zoonar RF), 31 (Tonga: Zoonar RF), 31 (Fidschi: Hermsdorf), 31or (Kiribati: EvaKaufman), 32ol (Basiliuskathedrale: JavenLin), 33ur (Chinesische Mauer: SKY2014), 35ul (Dugong: LauraDin), 37ml (Taj Mahal: Meinzahn), 37mr (Ganesha: Aapthamithra); **Wikipedia:** 3om, 6-7 (Hamburg: PD/Freie und Hansestadt Hamburg), 6-7 (Schleswig-Holstein: PD), 6-7 (Mecklenburg-Vorpommern: PD/Bundesland Mecklenburg-Vorpommern/Meck-Pomm), 6-7 (Bremen: PD/David Liuzzo), 6-7 (Niedersachsen: PD/Gustav Völker), 6-7 (Berlin: PD), 6-7 (Brandenburg: PD/David Liuzzo), 6-7 (Sachsen-Anhalt: PD/Land Sachsen-Anhalt), 6-7 (Nordrhein-Westfalen: PD), 6-7 (Hessen: PD/Madden), 6-7 (Thüringen: PD/Freistaat Thüringen), 6-7 (Sachsen: PD/ludger1961), 6-7 (Rheinland-Pfalz: PD/Land Rheinland-Pfalz), 6-7 (Saarland: PD/ludger1961), 6-7 (Baden-Württemberg: PD), 6-7 (Bayern: PD/Der Freistaat Bayern/David Liuzzo), 7or (PD/Jwnabd), 8-9 (Vorarlberg: PD/Montfort), 8-9 (Tirol: PD/Landeswappen), 8-9 (Salzburg: PD/David Liuzzo), 8-9 (Niederösterreich: PD/www.noe.gv.at), 8-9 (Oberösterreich: PD/Krahl), 8-9 (Steiermark: PD/Landeswappen der Steiermark/David Liuzzo), 8-9 (Kärnten: PD), 8-9 (Wien: PD/David Sebastian Liuzzo, Murraybuckley), 8-9 (Burgenland: PD/www.fahnen-gaertner.com), 10-11 (alle Schweizer Wappen: Public Domain), 18-19 (PD), 24 (CC-BY-SA-4.0/Todofai), 32 (PD), 36ml (CC BY 2.0/flydime)

Vorsatz: Archiv Tessloff; Shutterstock: (Italien: Anatoly Tiplyashin), (Kenia: Julinzy); **Thinkstock:** (Brasilien: Phongsiri), (Papua-Neuguinea: aomvector)

Nachsatz: Archiv Tessloff

Umschlagfotos: Schmeling, Michael: U1 (Karten: www.aridocean.com); **Shutterstock:** U1 (Großbritannien: T. Lesia), U1 (Schweiz: Route66), U1 (Deutschland: T. Lesia), U1 (Schweden: Julinzy); **Thinkstock:** U1 (Norwegen: Wavebreakmedia Ltd), U1 (Polen: Dorling Kindersley)

Gestaltung: Tessloff Verlag

Burgschmietstraße 2–4, 90419 Nürnberg
www.tessloff.com

ISBN 978-3-7886-7510-3

Seite 4–5
Belgien
Dänemark
Deutschland
Estland
Finnland
Großbritannien
Irland
Island
Lettland
Liechtenstein
Litauen
Luxemburg
Niederlande
Norwegen
Österreich
Schweden
Schweiz
Tschechische Republik
Weißrussland
Seite 6–7
Baden-Württemberg
Bayern
Berlin
Brandenburg
Bremen
Hamburg
Hessen
Mecklenburg-Vorpommern
Niedersachsen
Nordrhein-Westfalen
Rheinland-Pfalz
Saarland
Sachsen
Sachsen-Anhalt
Schleswig-Holstein
Thüringen
Seite 8–9
Burgenland
Kärnten
Niederösterreich
Oberösterreich
Salzburg
Steiermark
Tirol

Slowakei

Slowenien

Ukraine

Ungarn

Zypern

▶ Seite 16

Kanada

Mexiko

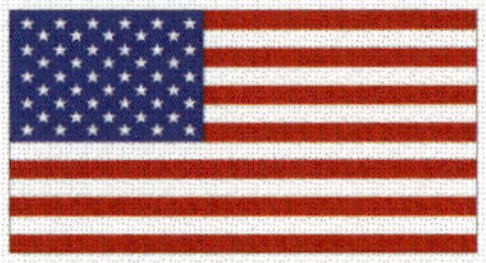
Vereinigte Staaten von Amerika (USA)

▶ Seite 18-19

Antigua und Barbuda

Bahamas

Barbados

Belize

Costa Rica

Dominica

Dominikanische Republik

El Salvador

Grenada

Guatemala

Haiti

Honduras

Jamaika

Kuba

Nicaragua

Panama

Saint Kitts und Nevis

Saint Lucia

Saint Vincent und die Grenadinen

Trinidad und Tobago

▶ Seite 20-21

Brasilien

Ecuador

Guyana

Kolumbien

Peru

Suriname

Venezuela

▶ Seite 22-23

Argentinien

Bolivien

Chile

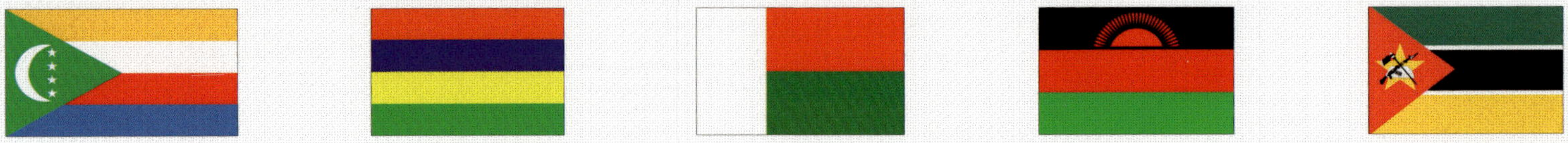

Komoren | Mauritius | Madagaskar | Malawi | Mosambik

Namibia | Republik Kongo | Ruanda | Sambia | São Tomé und Príncipe

Seychellen | Simbabwe | Südafrika | Tansania | Uganda

▶ Seite 30–31

Australien | Fidschi | Kiribati | Marshallinseln

Mikronesien | Nauru | Neuseeland | Palau | Papua-Neuguinea

Salomonen | Samoa | Tonga | Tuvalu

Vanuatu

▶ Seite 32–33

China | Japan | Kasachstan | Kirgisistan

Mongolei | Nordkorea | Russland | Südkorea | Tadschikistan

Taiwan
Usbekistan
Seite 34-35
Armenien
Aserbaidschan
Bahrain
Georgien
Irak
Iran
Israel
Jemen
Jordanien
Katar
Kuwait
Libanon
Oman
Saudi-Arabien
Syrien
Türkei
Vereinigte Arabische Emirate
Seite 36-37
Afghanistan
Bangladesch
Bhutan
Indien
Malediven
Nepal
Pakistan
Sri Lanka
Turkmenistan
Seite 38-39
Brunei
Indonesien
Kambodscha
Laos
Malaysia
Myanmar
Philippinen
Singapur
Thailand
Timor-Leste
Vietnam

Paraguay

Uruguay

Seite 24-25

Algerien

Benin

Burkina Faso

Elfenbeinküste

Gambia

Ghana

Guinea

Guinea-Bissau

Kap Verde

Liberia

Mali

Marokko

Mauretanien

Niger

Nigeria

Senegal

Sierra Leone

Togo

Seite 26-27

Tunesien

Ägypten

Äthiopien

Dschibuti

Eritrea

Kamerun

Libyen

Somalia

Sudan

Südsudan

Seite 28-29

Tschad

Zentralafrikanische Republik

Angola

Äquatorialguinea

Botsuana

Burundi

Demokratische Republik Kongo

Eswatini

Gabun

Kenia

Vorarlberg | Wien

▶ Seite 10-11

Aargau | Appenzell-Ausserrhoden | Appenzell-Innerrhoden | Basel-Landschaft | Basel-Stadt

Bern | Freiburg | Genf | Glarus | Graubünden | Jura | Luzern

Neuenburg | Nidwalden | Obwalden | Schaffhausen | Schwyz | Solothurn | St. Gallen

Tessin | Thurgau | Uri | Waadt | Wallis | Zug | Zürich

▶ Seite 12-13

Andorra | Frankreich | Italien | Malta | Monaco

Portugal | San Marino | Spanien | Vatikanstadt

▶ Seite 14-15

Albanien

Bosnien u. Herzegowina | Bulgarien | Griechenland | Kosovo | Kroatien

Mazedonien | Moldau | Montenegro | Rumänien | Serbien